Dic-02-2013

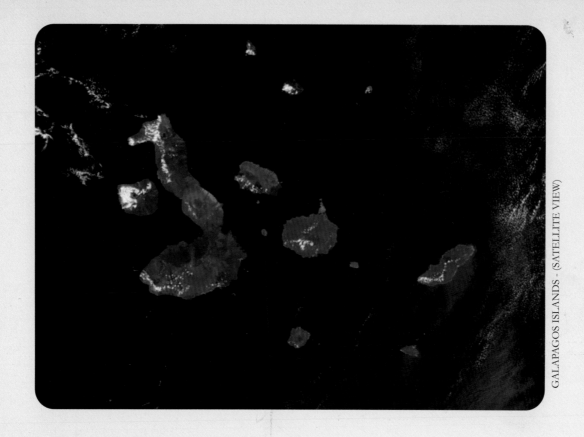

GALAPAGOS ISLANDS - (SATELLITE VIEW)

Traducción al Ingles: Dominic Hamilton / Fabían Romero
English translation: Dominic Hamilton / Fabían Romero

Diseño: Germán Bolívar Chacón
Design: Germán Bolívar Chacón

Impreso: Imprenta Poder Gráfico Cía. Ltda.
Printed by: Imprenta Poder Gráfico Cía. Ltda.

I.E.P.I. 039208
ISBN 978-9942-11-475-4

FRD
FOTOGRAFIA
www.galapagoshots.com

ECUADOR

Dedico esta modesta obra a mis hijos Vanesa y Nicolás.
A todos los ecuatorianos y al mundo entero.

This book is dedicated to my children Vanesa and Nicolas.
To all ecuadorians and to all the world.

INTRODUCCIÓN

Las Galápagos son esencialmente volcánicas; producto de la sucesión y superposición de flujos de lava, hasta el punto en el que formaron montañas submarinas gigantescas en las que solo sus cúspides sobrepasan el nivel del mar, mostrando lo que hoy conocemos como la parte terrestre de las islas.

El archipiélago está compuesto por islas oceánicas que no tuvieron contacto con ninguna masa continental, por lo tanto, es lógico preguntarse: De dónde vinieron todas las criaturas presentes en este ecosistema único en el mundo y que tiene tan solo unos tres a cinco millones de años de edad?

Es conocido que cuando ocurren crecidas en los ríos, estos arrancan ingentes cantidades de tierra y troncos, formando en ocasiones balsas naturales, mismas que a su vez son potenciales transportadoras de vida, tanto animal como vegetal; muchas de estas balsas probablemente se hundieron antes de alcanzar las islas pero sin duda hubieron algunas que si lo hicieron, se cree que con los vientos y las corrientes apropiadas una errante balsa de vegetación podría alcanzar las islas en tan solo dos o tres semanas; este tiempo resultaría muy largo para un mamífero que necesita alimento, agua y sombra, sin embargo, el record mundial lo tiene una pequeña rata que al lograr sobrevivir este peligroso viaje se constituyó en el primer arribo natural de un mamífero terrestre en Galápagos.

Es evidente que en ese proceso, ciertos individuos que contaban con características especiales, lograron soportar tan largo y tortuoso viaje; así los reptiles dominaron el ecosistema terrestre de Galápagos, se estima que un arrivo exitoso pudo ocurrir cada doce o quince mil años, pero fueron necesarios tan solo cuatro o cinco arrivos exitosos para justificar la cantidad de reptiles hoy presentes en el Archipiélago.

Las corrientes marinas jugaron un papel muy importante en el transporte de muchos seres vivos hacia Galápagos; por su ubicación ecuatorial, las islas son capaces de interceptar durante el año corrientes marinas que provienen de cada hemisferio sur y norte; los lobos marinos, pingüinos, gran cantidad de peces y vida marina fueron seguramente arrastrados por estas fuerzas.

Los vientos también son potenciales transportadores de organismos, una vez más la ubicación tropical de las islas permite que intercepten vientos predominantes, que provienen del noreste y sureste del continente; muchas esporas, semillas livianas, insectos y pequeñas aves, entre otros, pudieron ser transportadas por este medio.

Las aves marinas, que son buenas voladoras, podrían cubrir los casi mil kilómetros de océano que separan a las islas del continente en menos de veinte horas, tornándose así en potenciales transportadoras de pequeños organismos y dispersoras de semillas; mismas que pudieron estar atascadas a sus patas, adheridas a sus plumas o, incluso, dentro del tracto digestivo; una vez que estas fueron depositadas en las islas algunas prosperaron mientras que otras perecieron.

Inicialmente, las islas debieron ser totalmente estériles e inhóspitas, luego de miles de años, en los que los elementos naturales como el viento y la lluvia erosionaron la lava ya solidificada y luego con la ayuda de plantas pioneras formaron un suelo incipiente, en el que las primeras semillas lograron establecerse, así se crearon las condiciones propicias para que diversos grupos de animales pudieran prosperar, echo que debió tomar miles y miles de años; los diferentes organismos sobrevivieron a lo largo de un proceso gradual de arribo y establecimiento para conformar la fauna tan especial que poseen hoy las Galápagos.

En los últimos cientos de años, desde que se descubrió el Archipiélago, el ser humano ha introducido muchas especies de plantas y animales de forma intencional y accidental, tales como: mora, maracuyá, guayaba, entre otras y que se han convertido en una plaga, al ser plantas tremendamente invasivas. También se introdujeron animales como: chivos, chanchos, vacas, perros y gatos que bien se escaparon de las manos de sus dueños, o fueron abandonados, creando poblaciones que viven en estado salvaje y que destruyen el balance natural de la vegetación y fauna endémicas.

Es gracias al esfuerzo del Parque Nacional Galápagos, conjuntamente con la Estación Charles Darwin, que se han implementado y desarrollado programas de erradicación de especies introducidas, que están dando grandes resultados y que son inspiración y ejemplo para otros programas de conservación alrededor del mundo.

INTRODUCTION

The Galapagos Islands are essentially volcanic, the product of successive and overlapping volcanic eruptions which eventually formed gigantic underwater mountains, of which only their tips exceed sea level, showing what we now know as the land part.

The archipelago consists of oceanic islands which had no contact with any land mass. Therefore it is logical to ask :
where did all the creatures in this unique ecosystem in the world, only 3.4 to 5 million years-old come from?
It is known that when rivers are in spate they can tear off huge amounts of earth and trunks from their banks and surroundings, sometimes forming natural rafts which in turn are potential conveyors of life, both animal and vegetable. Most of these rafts probably sank before reaching the Islands, but some made it. It is believed that a wandering raft of vegetation, with the aid of appropriate winds and currents, could reach the Islands in just two or three weeks from the mainland. This period of time would be very long for a mammal that required food, water and shade, although we do know that one mammal survived this perilous journey: a small rat.

Only certain individuals, with particular characteristics therefore, could survive such a long and tortuous journey; thus reptiles dominated the Galapagos land ecosystem. It is believed that a successful arrival could occur every 12-15,000 years, but only 4 or 5 successful arrivals were necessary to justify the number of reptiles present today in the archipelago.

Marine currents played a crucial role in transporting organisms towards the Galapagos. Due to its location on the Equator, the Islands are able to intercept currents from both northern and southern hemisphere; sea lions, penguins, lots of fish and marine life were surely drawn by these forces.

Winds are also potential carriers of life. Once again, the tropical location of the Islands allows them to receive prevailing winds which come from the northeast and southeast of the South American continent: many spores, lightweight seeds, insects and small birds, among others, could be transported by this means.

Seabirds are excellent at flying. They could cover the almost 1,000 Km of ocean separating the islands from the continent in less than 20 hours, therefore, becoming potential transporters of small organisms and seed, stuck to their legs, attached to their feathers, or even the inside of their guts. Once deposited on the Islands, many Islands thrived while others perished.

Initially, the Islands would have been utterly barren and inhospitable. After thousands of years however, natural elements such as wind a rain eroded the solidified lava and, with the help of pioneer plants, formed soil, where the first seeds were able to prosper.

The different species that arrived at the Galapagos by natural means had to find the right conditions for their establishment and development- which could take thousands of years. Different species survived in a gradual process of arrival and establishment in shaping so special that they have today the Islands wildlife.

In the last hundreds of years, since the discovery of the archipelago, man has introduced many species of plants and animals, intentionally and accidentally, such as blackberry, passion fruits, guava, among others which have become pests and invasive plants. Introduced animals include goats, pigs, cows, dogs and cats that escaped or were forgotten, creating wild populations that have destroyed the natural balance of the Islands' endemic vegetation and fauna.

It is thanks to the efforts of the Galapagos National Park, together with Charles Darwin Research Station, which together have implemented and developed programs for the eradication of introduced species, these have produced very positive results, an inspirational example for other conservation programs around the world.

PIQUEROS

Se pueden encontrar tres especies de Piqueros en las Islas Galápagos, el más abundante es el de Patas Rojas (*Sula sula*); aunque ironicamente es el menos observado por los visitantes, ya sea porque habita en lugares del Archipiélago no abiertos al público o porque no todas las embarcaciones turísticas visitan Isla Genovesa, que es en donde, mayormente se los puede observar.

El Piquero de Patas Azules (*Sula nebouxii*) es el más común; se lo puede ver en muchas de las islas que conforman el archipiélago, inclusive, cerca de áreas pobladas; el Piquero de Nazca (*Sula granti*) es el de mayor envergadura con 150 cm. y se lo puede avistar en mar abierto, ya sea volando o descansando.

Estas aves se alimentan principalmente de peces, mismos que son atrapados con el pico; el piquero atraviesa el agua a gran velocidad luego de precipitarse hacia el mar a casi 40 Km. por hora.

Sus hábitos reproductivos son interesantes, tanto el de Patas Azules como el de Nazca ponen de 2 a 3 huevos, de acuerdo con la cantidad de alimento disponible alimentarán a uno o más polluelos, el de Patas Rojas en cambio pone un solo huevo, pero se puede reproducir más de una vez al año, puesto que su decendencia tiene una alta mortalidad debido a que éste se alimenta muy lejos de sus lugares de anidación mientras que el de Patas Azules se alimenta cerca de las áreas costeras y el de Nazca entre islas, debido a este comportamiento evitan competencia entre sí por el alimento.

Piquero Patas Azules
Blue-footed Booby

BOOBIES

Three species of boobies can be seen in the Galapagos Islands, the most abundant is the so-called Red-footed (Sula sula); but ironically it is the least seen by visitors, because it lives in places not open to the public or because not all tourist boats visit Genovesa Island, which is where mostly, you can see them.

The Blue-footed Booby (Sula nebouxii) is the most common spotted, including close to populated areas. The Nazca Booby (Sula granti) is the largest with a 1,5-meter wingspan. It can be found on the open seas, either flying or resting.

These birds feed mainly on fish, caught with their beaks, puncturing the water at high speeds of almost 40 kilometers-per-hour.

The reproductive habits of the species are interesting: both the Blue-footed Booby and the Nazca Booby lay two or three eggs. According to the quantity of available food, they feed only one, and sometimes more chicks. The Red-footed Booby lays just a single egg, but sometimes more than once a year, since its offspring have a high mortality rate.

The three species do not compete for food, since they fish in different places: the Blue-footed Booby feeds near the shore; the Nazca a kilometer away from coast or between Islands; and the Red-footed Booby feeds out to sea.

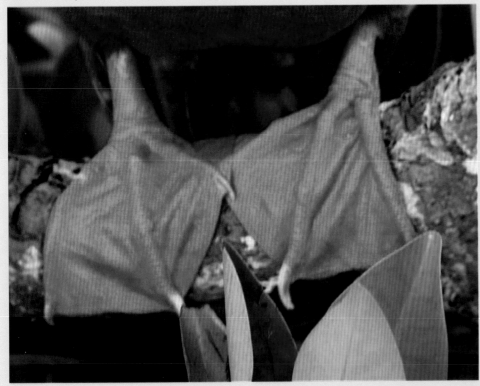

Piquero Patas Rojas
Red-footed Booby 9

Piquero Patas Rojas
10 Red-footed Booby

Piquero de Nazca
Nazca Booby 13

GAVILAN DE GALAPAGOS

El Gavilán (*Buteo galapagoensis*) es una de las pocas aves de presa que habitan en el Archipiélago, con una envergadura de alas de 120 cm. Esta poderosa rapaz tiene una dieta muy variada que abarca desde culebras, lagartijas, polluelos, aves pequeñas, e inclusive se alimenta de la placenta de los lobos marinos cuando éstas paren en las playas.

Tiene un comportamiento muy singular llamado poliandría (la version femenina de poligamia), que consiste en que una hembra puede aparearse con varios machos, mismos que le proveerán de alimento a ella y sus polluelos.

Se los puede encontrar en varios tipos de habitats, tanto en zonas costeras como en la parte alta de muchas de las islas son aves muy confiadas y es relativamente fácil aproximarse a ellas.

GALAPAGOS HAWK

The Galapagos Hawk (Buteo galapagoensis) is the only bird of prey in the archipelago with a wingspan of 120 cm. This powerful bird has a varied diet that ranges from lizards, birds, snakes, small birds, it even feeds on the placenta of Sea Lions after they have given birth on the beach.

These birds practice polyandry (the female version of polygamy), which consists of a female with several males who cooperate in the incubation process and in breeding.

They can be found in various kinds of habitats, both in coastal areas and the highlands of many Islands. They are very unsuspecting birds and can be easily approached.

Gavilán (Juvenil)
Hawk (Juvenile) 17

Punta Pitt - Isla San Cristóbal

18   Pitt Point - San Cristobal Island

Bahía de Correo Isla Floreana
Post - Office Bay Floreana Island 19

FLAMINGO

De las cinco especies de Flamingos que hay en el mundo, el que habita en Galápágos (*Phoenicopterus ruber*), es el más rosado; se lo puede observar en las lagunas, de donde obtiene su alimento tal, como: insectos acuáticos y especialmente un muy pequeño camarón que en realidad es la base de su dieta y es el que le proporciona el pigmento que le otorga su color caractarístico. Los Flamingos engullen bocanadas de agua lodosa, misma que es filtrada por un sistema especial de placas que poseen en el pico.

Esta es una de las aves más antiguas del mundo, se la considera un fósil viviente, puesto que ha existido desde hace unos cincuenta millones de años.

GREATER FLAMINGO

Five species of Flamingos exist in the world of which the pinkest is the species found in the Galapagos Islands (Phoenicopterus ruber). It can be seen in lagoons where it feeds on acuatic insects, especially a little shrimp, the basis of its diet and the source of the pigment which gives it its characteristic color. It sucks up muddy water which it filters through a special system in its beak.

It is one of the oldest birds in the world, considered a living fossil, since it has existed for some fifty million years.

Flamingo

Greater Flamingo

Anas Bahemensis

LOBO MARINO

En las Islas Galápagos existen solo dos especies de Lobos Marinos (*Zalophus wollebaeki*) y (*Arctocephalus galapagoensis*), Se cree que sus ancestros arribaron al Archipiélago siendo arrastrados por las corrientes marinas tanto del Norte como del Sur del globo terráqueo y establecieron sus poblaciones de manera estable.

Se alimentan principalmente de peces, especialmente de sardinas, son relativamente dóciles, excepto cuando el macho adulto defiende celosamente su colonia de hembras, entonces, puede tornarse muy agresivo con cualquier intruso que invada su territorio, inclusive con el ser humano.

La hembra es más pequeña y luce más elegante que su compañero, el macho adulto puede lucir grotesco y alcanzar los 250 Kg. de peso; además posee una protuberancia en la frente que lo hace inconfundible.

Una de las mayores atracciones de las que disfruta el visitante que se aventura en el agua es observar a estos simpáticos amiguitos nadando y salpicando alrededor suyo; si practica buceo de superficie o snorkel, sin duda, tendrá una magnífica oportunidad de verlos nadando bajo el agua; es necesario recordar no pretender tocarlos o peor aún hacerlo.

Lobo Marino
Sea Lion

SEA LIONS

In Galapagos archipelago there are two species (Zalophus wollebaeki) and (Arctocephalus galapagoensis) which are considered unique in the world. It is believed that their ancestors arrived at the Islands, after been swept away by marine currents, both from the North and South of the globe and established their populations in a stable manner.

They feed on fish, and are relatively docile, except when the adult male defends jealously its colony of females. Then can become very aggressive, with any intruder who invades their territory, including with humans.

The female is smaller and looks more elegant. The adult male can be pretty grotesque, reaching 250 Kg, in weight, with a bump on the forehead that makes it unmistakable.

One of the major attractions that visitors can enjoy in the water is observing these sympathetic creatures swimming and splashing around them; if snorkeling, visitors will have a wonderful opportunity to see Sea Lions swimming underwater although it's best not to pretend to touch them, or worse yet, do so.

Lobo Peletero
Fur Sea Lion 27

Albatros
Waved Albatross

ALBATROS

Con una envergadura de aproximadamente 235 cm. esta majestuosa criatura (*Phoebastria irrorata*) es una de las aves más grandes e impresionantes del planeta; anida una vez por año en la Isla Española en donde permanecerá, junto a su pareja, el tiempo requerido para criar a su polluelo hasta que éste desarrolle el plumaje y las habilidades necesarias para volar, puesto que acompañará a sus padres en un largo viaje hacia las costas de Ecuador y Perú en busca de su alimento preferido, el calamar; en este lugar permanecerá por varios años, hasta que alcance su madurez sexual y regrese a Isla Española para empezar su vida reproductiva.

Los Albatros ponen un solo huevo de algo más de media libra de peso, unos 385 gr. mismo que es incubado por ambos padres por dos meses; luego de lo cual, eclosiona dando lugar a su pequeño polluelo que es alimentado con un aceite que proviene de la digestión de calamares y peces.

WAVED ALBATROSS

With a wingspan of about 235 cm this majestic creature (Phoebastria irrorata) is one of the largest and most impressive of the planet's birds. It nests once a year on Española Island, where it will remain, along with its partner, until its chick has developed the plumage and skills necessary to fly, because they accompany their parents on a long journey to the coasts of Peru and Ecuador in search of its favorite food: squid. It will remain away from the Island for several years, until it reaches sexual maturity and returns to begin its reproductive life.

Albatrosses lay a single egg weighing little more than half pound (385 gr). Both parents incubate it for approximately two months. After hatching, the chick is fed by the father and the mother with an oil that they extract from the digestion of squid and fish.

FLIGHTLESS CORMORANT

If Charles Darwin had seen this strange bird, unique in the world (Phalacrocorax harrisi), perhaps he would have developed and released his theory on the evolution of species earlier.

With out a doubt it is not a beautiful bird, but it has a wonderful turquoise eyes. Exceptional and unique having evolved in the Islands adapting from a flying to a flightless specie over generations to the individual we have today. It is thought that when their ancestors flew to the Galapagos thousands of years ago, they found an ecosystem where it was not necessary to fly, whether because of the almost total absence of predators or, perhaps, because the proximity of food resources. It dives very well, feeding on eels, octopus and fish.

Despite being the only species of cormorant which has lost the ability to fly, it still needs to stretch its wings to dry its feathers in the sun,

The female builds nests with what the male brings back: pieces of coral, sea urchins, etc. By the time she has finished, the nest looks a complete mess, cobbled together with the flotsam and jetsam of the ocean.

CORMORAN NO VOLADOR

Si Charles Darwin hubiera visto a esta extraña ave, única en el mundo (*Phalacrocorax harrisi*), talvez habría de sarrollado y publicado con anterioridad su teoría sobre la evolución de las especies.

Este Cormorán posse unos ojos con un maravilloso color turquesa, sin embargo no es la más atractiva de las aves; aunque es un ser excepcional que evolucionó en las islas, modificándose de una especie voladora a una no voladora, que es el individuo que tenemos en la actualidad. Probablemente cuando sus ancestros vinieron hace miles de años hacia las Galápagos, encontraron allí un ecosistema en donde no se requería volar, sea por la casi ausencia de predadores terrestres o, talvez, por la proximidad de los recursos alimenticios; es así que, ahora, bucea muy bien para alimentarse de anguilas, pulpos y peces.

Existen veintinueve especies de Cormoranes en el mundo, y el de Galápagos es el único que ha perdido la habilidad de volar, a pesar de esto todavía necesita expandir sus alas para secar sus plumas al sol.

La hembra construye su nido con lo que el macho le trae: algas, piezas de coral, erizos, etc. Finalmente el nido no tiene una forma común, por el contrario, parece un pilo de basura que proviene de la resaca del mar.

Delphinus delphis

DELFÍN

Los delfínes son ballenas pequeñas y con dientes; varias especies visitan el Archipiélago, el más común es el denominado Nariz de Botella (*Tursiops Truncatus*), éste frecuentemente persigue a las embarcaciones a gran velocidad mientras realiza muchas acrobacias para deleite de quienes tienen la oportunidad de observarlos, es muy social y se lo puede ver en grupos muy numerosos.

Su dieta se basa en una gran variedad de peces y calamares; al igual que sus primas las ballenas, utiliza su agudo sistema de ecolocalización para detectar a sus potenciales presas.

DOLPHINS

Dolphins are small, toothed whales. Several species of dolphins visit the archipelago. The most common is the so-called Bottle-nosed, (Tursiops truncatus) often spotted pursuing boats at high- speed and performing aquatic stunts, It is a very social animal and is usually seen in large groups.

Their diet is based on a variety of fish and squid. Together with their cousins, whales, they use a refined echo-location system to find their food.

Delfín Nariz de Botella
Bottle - nosed Dolphin 35

FRAGATAS

De las cinco especies de Fragatas que hay en el mundo, dos viven en Galápagos (*Fregata magnificens*) y (*Fregata minor*).

Estas aves son consideradas como unas "máquinas voladoras" ya que son capaces de realizar toda clase de maniobras aéreas, casi un 70% de su peso corporal está compuesto por músculos especializados para volar.

En la época de celo, el macho infla su saco gular con aire para atraer la atención de la hembra; en cuanto observa a una volando por encima suyo, hace su mejor despliegue sacudiendo las alas, y mostrando cuan grande y colorido es su buche, todo este alarde se ve acompañado de raros silbídos ululantes; mientras tanto, la hembra evalúa a su potencial pareja desde el aire, si éste cumple con sus exigencias descenderá para empezar el ritual de apareamiento, construcción del nido y posterior cría del polluelo; que, sorprendentemente, les tomará poco más de un año.

FRIGATES

Five species of frigates exist in the world- two live in the Galapagos Islands (Fregata magnificens) and (Fregata minor).

The Frigate is considered and impressive flying machine, which can perform all sorts of aerial maneuvers. Almost 70% of its body weight is comprised with specialized muscles to fly.

During the mating season, the male inflates his gular air sac to attract the attention of the female. As soon as he observes a female flying above, he makes a great show, shaking his wings, showing how large and colorful they are, all this accompanied by particular warbling cry. From the air, the female evaluates her potential partner, weighing up his qualities. If she is impressed, she will land and begin the mating ritual and subsequent building of their nest and the breeding of their chick-wich, surprisingly, takes them more than a year.

Fragata
36 Frigatebird

Dendroica petechia

Canario María

38   Yellow Wrabler

Myiarchus magnirostris

Papamoscas
Large - billed Flycatcher

Pyrocephalus rubinus

Pájaro Brujo
Vermillion Flycatcher 39

GARZAS

Las Garzas son aves que disfrutan de la proximidad del agua, al ser éstas carnívoras han conquistado muchos ecosistemas desde el nivel del mar hasta las tierras altas, se las puede ver alimentándose de peces y otros organismos a lo largo de las orillas de playas, esteros y lagunas. Estas aves, por lo general, son asustadisas y esquivas; aún en Galápagos que se caracteriza por tener una fauna que es muy confiada con el ser humano.

La especie endémica de Galápagos es la Garza de Lava (*Butorides sundevalli*)

HERONS

Heron are birds that enjoy the proximity of water. They are carnivorous, feeding on fish and other small organisms on the shores of beaches, marshes and lagoons.
These birds are usually nervous and skittish around humans-even in Galapagos, characterized by its fauna's lack of fear of humans.

The Lava Heron (Butorides sundevalli) is considered an endemic specie of the archipelago.

Nycticorax violaceus

Guaque ó Garza Nocturna
40 Yellow - crowned Night-heron

Butorides sundevalli

Garza de Lava
Lava Heron

Ardea herodias

Garza Morena
Great Blue Heron 41

IGUANA MARINA

Esta especie (*Amblyrhynchus cristatus*) es considerada una de las más extrañas criaturas que existen sobre la faz de la tierra, la única Iguana Marina del mundo, que solo habita en Galápagos, y que sin embargo es abundante con una población que supera los dos mil individuos por cada mil metros de costa.

Al igual que el Cormorán no Volador y los Pinzones, la Iguana Marina evolucionó en las islas, posee fuertes garras que le permiten trepar por paredes rocosas de hasta 90 grados de inclinación y le facilita sujetarse a las piedras en donde crece el alga de la que se alimenta, sus dientes tienen tres puntas que le ayudan a raspar dichas algas; su cola aplanada por los lados le da una gran propulsión para nadar y puede, bajo condiciones especiales, permanecer hasta una hora sumergida sin respirar; La Iguana Marina se aparea en tierra y deposita de 2 a 3 huevos en huecos que cava en la arena, luego de unos 90 días de incubación y sin ningún cuidado parental éstos eclosionan; al ser muy pequeñas al nacer son presa fácil para las Garzas y Gavilanes por esto encuentra refugio en las grietas de las rocas de lava en donde viven hasta acanzar una talla mayor.

MARINE IGUANAS

This species is considered one of the strangest creatures on the face of the Earth. It is the world's only species of Marine Iguana (Amblyrynchus cristatus) and yet it is abundant in the Galapagos.

Like the Cormorant and Finches, the Marine Iguana is endemic to the Islands. It evolved on the Islands to become unique. It feeds mainly on kelp possessing strong claws to hold on to rocks while feeding, and in order to climb rock walls of up to 90 degrees. Its tail is flattened on the sides to aid propulsion in the water. It can, under special conditions, stayed submerged for an hour without surfacing. It lays two to three eggs which it buries in the sand. These emerge after a few months, but do not receive any parental care whatsoever.

They congregate in colonies dozens strong, to sunbathe, conserve heat and digest.

Iguana Marina
Marine Iguana

Amblyrhynchus cristatus

Colonia de Iguanas Marinas
Marine Iguanas Colony 45

Isla Rábida
48   Rabida Island

Spheniscus mendiculus

Pingüino de Galápagos
Galapagos Penguin

Pingüino ingiriendo anguila-tigre
Penguin eating a tiger-snake eel   49

Asio flammeus

Lechuza de campo
50 Short-eared Owl

IGUANA TERRESTRE

Podemos encontrar tres especies de Iguanas Terrestres en Galápagos (*Conolophus subcristatus*) que es la más distribuída en el Archipiélago (*Conolophus palidus*), que es endémica de Isla Santa Fe y (*Conolophus rosada*) que la encontramos en Isla Isabela

A diferencia de su prima la Iguana Marina, ésta no tiene la habilidad de sumergirse bajo el agua, podría nadar solo si accidentalmente cae en ella, de otra forma es completamente terrestre, inclusive puede correr con cierta rapidez.
En su juventud se alimenta de toda clase de materia orgánica, mas cuando son adultas son exclusivamente vegatarianas, encuentran agua en los suculentos cladiodos de los cactus, sus frutos y flores.

Anidan en pequeñas cuevas que construyen en la tierra, son muy territoriales cuando se aparean. Estas criaturas son longevas, pueden vivir hasta 70 años, sin embargo, alcanzan la madurez sexual después de los primeros 8 o 12 años de vida.

LAND IGUANAS

Land Iguana (Conolophus subcristatus), unlike its cousin, the Marine Iguana, it does not have the ability to dive underwater, although it could just swim if it accidentally falls into the water. It is really fully terrestrial, and can even run fast on occasion.
While juvenile, it feeds on all kinds of organic material, but when mature it is exclusively vegetarian, finding food and water in the fruit and flowers of succulent cacti.

It nests in small burrows and are very territorial during the mating season. These creatures can live very long lives , extending up to 70 years, although they only reach sexual maturity after the first 8 to 12 years life.

Iguana Terrestre
Land Iguana 51

Conolophus pallidus

Iguana Terrestre de la Isla Santa Fé
52 Santa Fe Land Iguana

Conolophus subcristatus

Microlophus delanonis (male)

LAGARTIJA DE LAVA

Los grandes dinosaurios del pasado no son muy diferentes de los reptiles que viven en la actualidad , algunos de los más espectaculares y, talvez, menos apreciados por su pequeño tamaño sean las lagartijas, de las cuales hay siete especies en Galápagos.

Estos reptiles endémicos son muy vivaces; se alimentan principalmente, de insectos que los atrapa con gran rapidez; en ocasiones, mientras los Lobos Marinos descanzan en las playas, muchas moscas rodean sus cuerpos, lo cual ofrece la oportunidad perfecta para que las lagartijas las devoren, las pequeñas langostas también constiyuyen su bocado predilecto. En lugares donde escasean los insectos se las ha visto alimentarse también de pequeñas flores.

Cuando adulta, la lagartija hembra posee un vivo color rojo en el cuello para de esta manera, ser fácilmente identificada por el macho, ambos son agresivos y muy territoriales con otros miembros de su especie. Se cree que todas las especies de Lagartijas evolucionarón de un solo ancestro común.

Existen 7 especies de Lagartijas de Lava en el Archipiélago y son: *T. grayi, T. bivattatus, T. pacificus, T. habellii, T. delanonis, T. albemarlensis, and T. duncanensis.*

LAVA LIZARDS

Large dinosaurs of the past are not very different from reptiles living today. Some of the most spectacular and, perhaps, least appreciated due to their small size, are lizards.

These endemic reptiles are lively and active; the feed mainly on insects which they catch very quickly. While Sea Lions lie on the shores, many flies buzz around their bodies, providing the perfect opportunity for hungry lizards, its favorite snack. In places where there is a shortage of insects, they can also feed on small flowers.

When mature, females display a vivid red neck, easily differentiated from the male. Both are very aggressive and territorial with other members of their species. There are seven different species of Tropidurus, Lava Lizards, found in the Galapagos; they are: T. grayi, T. bivattatus, T. pacificus, T. habellii, T. delanonis, T. albemarlensis, and T. duncanensis.

Microlophus delanonis (female)

Microlophus albemarlensis

Haematopus palliatus

Ostrero

58 American Oystercatcher

Lago Darwin Isla Isabela
Darwin's Lake Isabela Island 59

Punta Suarez Isla Española
60   Suarez Point Española Island

Phaethon aethereus

Pájaro Tropical
Red - billed Tropicbird 61

Nesomimus parvulus

Cucuve de Galápagos
62   Hood Mockingbird

Larus Fuliginosus

Gaviota de Lava
Lava Gull 63

GAVIOTA DE COLA BIFURCADA

Esta preciosa ave marina (*Creagrus furcatus*), es la única especie de Gaviota nocturna en el mundo y es endémica de Galápagos. Se alimenta mar adentro, lejos de tierra firme y ayudada de una poderosa visión, es capaz de identificar a sus presas como: calamares y peces, con gran precisión y habilidad.

Cuando la pareja se encuentra en período reproductivo, colecta pequeños trozos de coral y piedrecillas, que son ubicadas de forma que camuflen sus huevos, de esta manera, estos pasan desapercibidos ante la mirada de sus potenciales enemigos.

Existen muchas aves marinas en el Archipiélago que coexisten sin mucha dificultad y con poca competencia por los recursos alimenticios; aún cuando muchas de estas especies se alimentan casi de lo mismo; esto se debe, a que cada una de ellas ha desarrollado diferentes técnicas para atrapar a sus presas, o bien porque tienen un diferente horario de alimentación o porque domínan diferentes lugares en el océano. Es por esta razón que la avifauna de este ecosistema insular es considerada especial.

Creagrus furcatus

Gaviota de Cola Bifurcada

64 Swallow - tailed Gull

SWALLOW -TAILED GULL

This beautiful bird is the only specie of nocturnal Gull in the world (Creagrus furcatus) and is endemic of Galapagos. It feeds mainly on squid, that it catches with high precision and great ability, during the night, and far away from land, aided by its acute night vision.

When the couple is in their reproductive period, they collect small pieces of coral and pebbles. These elements are carefully placed on the ground which they uses them to camouflage their eggs in the eyes of potential predator.

It should be noted that many species of marine birds coexist without much difficulty and without much competition for food resources- even though many of these species feed on almost on the same things; this is because each species has developed different techniques to catch its prey or because they feed at different times, or because they dominate a specific area of the ocean.

For this and other reasons. Galapagos marine birds are considered special.

Zenaida galapagoensis

Paloma de Galápagos

66 Galapagos Dove

Globicephala macrorhyucus

Ballena Piloto o Calderón Tropical
Short - finned Pilot Whale 67

PINZON DE DARWIN

Estas son las famosas aves, que junto a otras especies de plantas y animales aportaron con las pruebas necesarias para el desarrollo de la que sería una de las teorías mas brillantes de la ciencia: la evolución.

Las 13 especies que habitan en las Galápagos se parecen mucho entre sí; un observador no entrenado podría confundirlas con facilidad; la característica más distintiva para diferenciarlas es el tamaño y forma de su pico, que es el resultado de una adaptación al tipo de comida que ingiere, ya sean estos insectos, frutos o semillas.
El hábitat en donde se encuentran es un elemento de juicio para una identificación positiva. Por otra parte el sexo es fácil de diferenciar, los machos adultos son de color negro, mientras que las hembras son grises moteadas.

Probablemente lo que mayormente atraiga la atención, es el echo de que todas las especies de pinzones evolucionaron de un solo ancestro común.

DARWIN'S FINCHES

These famous yet small birds, along with other species of plants and animals, provided the necessary evidence for the development of what would become one of the most brilliant theories of Science: evolution.

The thirteen species inhabiting the Galapagos seem very alike at first sight; an untrained observer might confuse them easily. Their most distinctive features are the size and the shape of their beaks, which have adapted to the type of food ingested, whether insects, fruits or seeds.

The habitats where they are found can help a positive identification. On the other hand. their sex is also easy to differentiate: adult males are black, while juveniles and females are mottled gray.

Geospiza magnirostris

Pinzón Grande de Tierra
68 Large Ground Finch

Camarhynchus Pallidus

Pinzón Artesano
Woodpeker Finch

Geospiza Scandens

Pinzón de Cactus
Cactus Finch

69

Geochelone elephantopus hoodensis

TORTUGA TERRESTRE GIGANTE

Sin duda alguna las Tortugas Gigantes son las criaturas más impresionantes que habitan las Islas Galápagos, pues son enormes, pudiendo pesar hasta 275 Kg. y medir 1.50 m. de largo; son herbívoras e incluyen en su dieta frutos y hojas de muchísimas especies de plantas. Alcanzan su madures sexual entre los 20 y 25 años de vida, sus huevos casi tienen el tamaño de una pelota de tenis.

Estas gigantes criaturas abundaban en el Archipiélago, hasta hace unas cuantas décadas fueron muy apetecidas por el hombre, debido a su carne, al aceite que se extraía de ellas y que era comercializada, al agua que provenía de sus órganos y al hecho de que pueden permanecer hasta un año o más sin comer o beber; lo que las hacía excelentes compañeras para una larga travesía en el océano, es decir: ! comida fresca a largo plazo !

Su población original, probablemente bordeaba el millón de individuos. Sin embargo, luego de la depredación causada por piratas, cazadores, balleneros, coleccionistas, expediciones científicas, colonos y otros; su población se redujo casi al punto de la extinción; de echo, asi ocurrió con cuatro de sus catorce especies, la última en desaparecer fue el famoso Solitario Jorge (jun 24 2012).

A pesar de todo aún quedan diez especies cuyas poblaciones permanecen estables y en estado salvaje; gracias al esfuerzo realizado por el Parque Nacional Galápagos para erradicar animales introducidos, se ha podido reducir el impacto que éstos causan en el medio ambiente y así garantizar la supervivencia de estos reptiles en el futuro.

Tortuga Gigante (Diego)
Land Giant Totoise (Diego)

LAND GIANT TORTOISES

These are the most impressive creatures, (Geochelone elephantopus) that live in the Galapagos Islands- they are huge, reaching weights of up to 250 Kg and measuring 1.50m long. They are herbivores, feeding on fruits and leaves from several species of plants. They reach sexual maturity at between 20 and 25 years-old, and their eggs are nearly the size of a tennis ball.

These giant creatures were abundant in the archipelago. Until a few decades ago, they were prized by man for their meat, their oil which is commercialized, the water in their bodies and the fact that they can remain up to a year or more without eating or drinking, making them excellent companions for a long voyage in the ocean, i.e fresh long-term food!

The original population of Giant Tortoises, probably numbered 300,000 individuals, although some scientist believe that the population was even greater, reaching perhaps a million!. However after predation by pirates, hunters, whalers, scientific expeditions, collectors, settlers and others, their population was reduced almost to the point of extinction. Unfortunately this was the case with four of his fourteen species, the last specie in disappear was the famous Lonesome George, (Jun 24 2012) It was the only survivor from the population of Pinta Island.

However, there are still ten species whose populations remain stable in the wild, thanks to the efforts made by the Galapagos National Park to breed them in captivity and to eradicate introduced animals, reducing the impact they cause in the environment and thus ensure the survival of these reptiles for the future.

Geochelone elephantopus abindgoni

Solitario Jorge
74 Lonesome George

Caleta Tortuga Negra Isla Santa Cruz
Black Turtle Cove Santa Cruz Island 75

Isla Bartolomé
76 Bartholomew Island

Las Islas Galápagos son sin duda un paraíso para el fotógrafo. La gran mayoría de la fauna de este Archipiélago presenta una docilidad que es, probablemente, uno de sus mayores atractivos.

Sin embargo, es muy importante recordar en todo momento la regulación del Parque Nacional de no acercarse a la fauna a menos de dos metros, para no asustarla y para no cambiar su comportamiento natural y, también, por motivos de seguridad ya que en el caso de los Lobos Marinos éstos pueden infringir una seria mordida.

Por otra parte, con el uso de cualquier teleobjetivo se pueden lograr tomas espectaculares sin necesidad de acercarse demasiado. Yo uso 55x300 y 18x55.

Además gracias a la tecnología digital se pueden lograr cortes o ampliaciones para dar un efecto dramático a la foto en la que aparecen detalles que pasarían imperceptibles para el ojo del visitante común.

This is without a doubt, paradise for photographers. The vast majority of Galapagos fauna are fearless of Man-one of its major attractions.

However, we must not approach too close. It is very important to remember at all times the National Park's rule of not getting within less than 2 meters of an animal, in order not to scare it or change its natural behavior, as well as for your safety-particularly in the case of sea lions, which have been known to bite.

One can take spectacular shots without getting too close of course, using a telephoto (zoom) lens. I use a 55-300mm Nikon and a 18-55mm Canon lens.

Thanks to digital technology, one can crop and enlarge images to create dramatic effect, or to highlight details that would otherwise have been imperceptible to the eye of the common visitor.

Turistas caminando sobre campo de lava
Tourists walking on a Lava Field   78